John Burningham

Le panier de Stéphane

kaléidoscope

Texte traduit de l'anglais par Élisabeth Duval

Titre de l'ouvrage original : THE SHOPPING BASKET. Éditeur original : Random House Children's Books, Londres.
Copyright © 1980 by John Burningham. Tous droits réservés. Pour la traduction française : © Kaléidoscope 2012. Loi n° 49.956 du 16 juillet 1949
sur les publications destinées à la jeunesse : mars 2012. Dépôt légal : mars 2012. ISBN 978-2-877-67728-8. Imprimé à Singapour

Diffusion l'école des loisirs
www.editions-kaleidoscope.com

"Fais vite un saut chez l'épicier, s'il te plaît, Stéphane,
et achète six œufs, cinq bananes, quatre pommes,
trois oranges pour le bébé, deux beignets et un paquet de sablés
pour ton goûter.
En passant devant le 25, tu déposeras cette lettre pour moi."

Stéphane s'en va, le panier sous le bras.

Il passe devant le numéro 25,

devant la brèche dans la clôture,

devant la poubelle trop pleine,

devant les travaux de terrassement,

devant la niche du chien méchant,

et il arrive à l'épicerie.

Il achète les six œufs,
les cinq bananes,
les quatre pommes,
les trois oranges pour le bébé,
les deux beignets
et le paquet de sablés pour son goûter.
Mais lorsqu'il sort de l'épicerie
pour rentrer chez lui, il y a un ours.

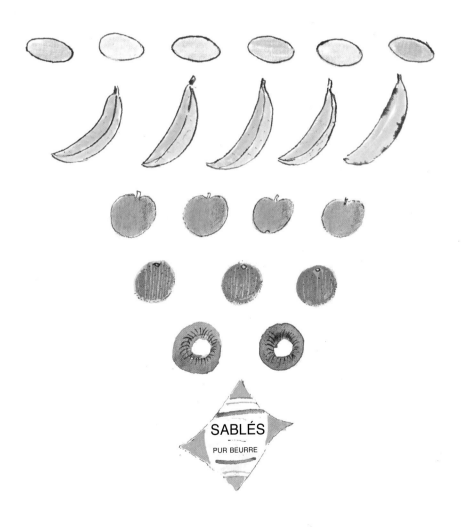

ÉPICERIE DIWALI

"Je veux ces œufs, dit l'ours,
et si tu ne me les donnes pas,
je vais te serrer à t'en couper le sifflet."
"Si je lançais un œuf en l'air, je parie que
tu ne pourrais même pas le rattraper,
tellement tu es lent", dit Stéphane.
"Moi, lent !" riposte l'ours…

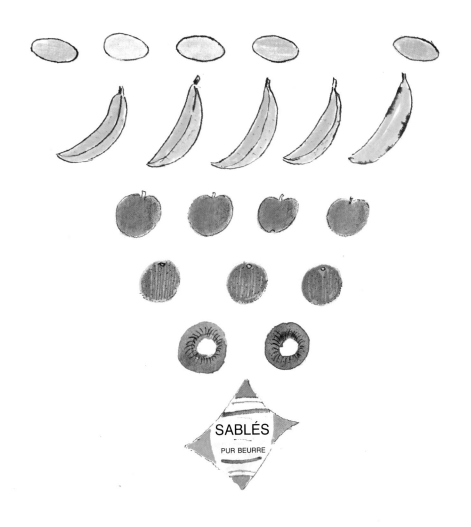

ÉPICERIE DIWALI

Et Stéphane se dépêche de rentrer avec son panier.
Mais quand il arrive devant la niche du chien méchant,
il y a un singe.

"Donne-moi ces bananes, dit le singe,
ou je te tire les cheveux."
"Si je déposais une banane dans cette niche,
je parie que tu ne pourrais pas la ramasser
sans réveiller le chien,
tellement tu es bruyant."
"Moi, bruyant !" riposte le singe…

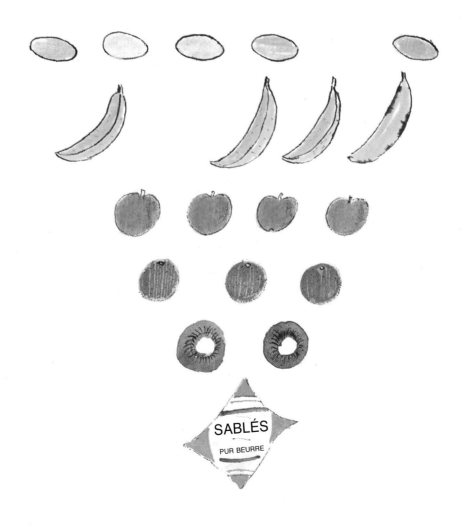

Et Stéphane se dépêche de rentrer avec son panier.
Mais quand il arrive devant les travaux de terrassement,
il y a un kangourou.

"Donne-moi les pommes
qui sont dans ton panier, dit le kangourou,
ou je te frappe à grands coups."
"Si je jetais une pomme par-dessus cet abri,
je parie que tu ne la rattraperais même pas,
tellement tu es maladroit."
"Moi, maladroit !" riposte le kangourou...

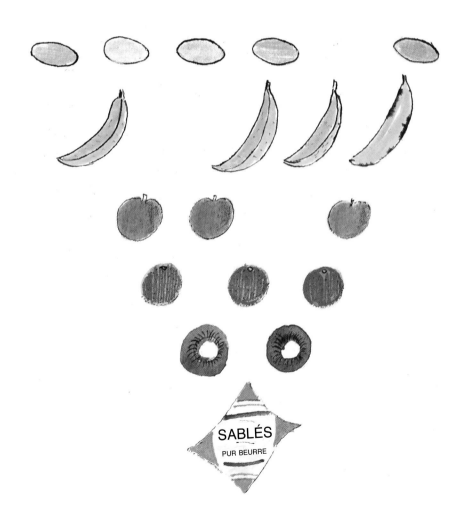

Et Stéphane se dépêche de rentrer avec son panier.
Mais quand il arrive près de la poubelle qui déborde,
il y a une chèvre.

"Donne-moi les oranges qui sont dans ton panier,
dit la chèvre, ou je t'envoie d'un coup de cornes
par-dessus la palissade."
"Si je mettais une orange dans cette poubelle,
je parie que tu serais incapable de la reprendre,
tellement tu es bête."
"Moi, bête !" riposte la chèvre...

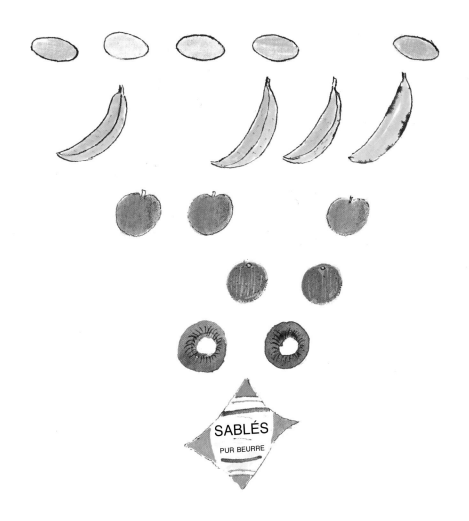

Et Stéphane se dépêche de rentrer chez lui avec son panier.
Mais quand il arrive devant la brèche de la clôture, il y a un cochon.

"Donne-moi ces beignets
ou je t'aplatis contre la clôture",
dit le cochon.
"Si je posais ces beignets
de l'autre côté de la brèche,
je parie que tu ne pourrais même pas
aller les chercher, tellement tu es gros."
"Moi, gros !" riposte le cochon…

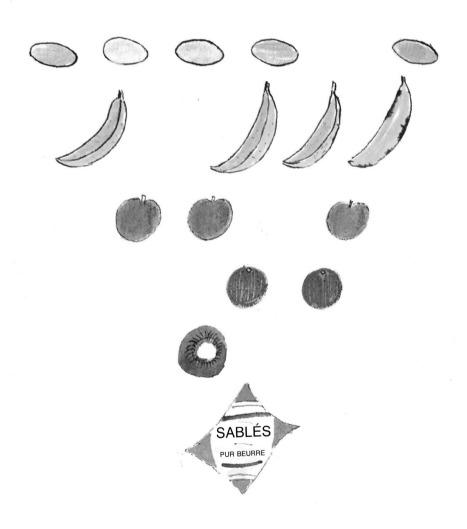

Et Stéphane se dépêche de rentrer chez lui avec son panier.
Mais quand il arrive au numéro 25, il y a un éléphant.

"Donne-moi ces biscuits ou je t'assomme
avec ma trompe", dit l'éléphant.
"Si je glissais ces sablés dans la boîte aux lettres,
je parie que tu ne pourrais même pas
les reprendre, tellement ta trompe est courte."
"Courte, ma trompe !" riposte l'éléphant…

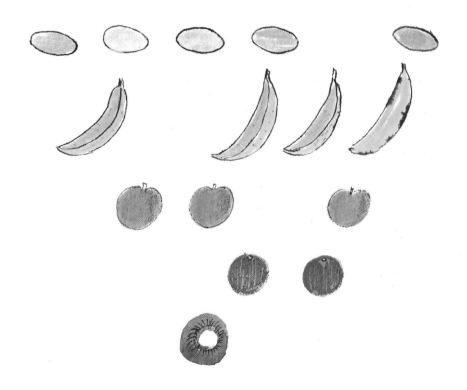

Et Stéphane se dépêche de rentrer avec son panier.
Mais lorsqu'il arrive devant sa maison, il y a sa maman.

"Où diable étais-tu, Stéphane ?
Je t'ai simplement demandé d'aller chercher six œufs,
cinq bananes, quatre pommes, trois oranges pour le bébé,
deux beignets et un paquet de sablés.
Ne me dis pas que ça t'a pris autant de temps !"